시선집: 서로 다른 시선 3

정재운 박예슬 희망찬봄이네 김지한 도유제나 이세연 최우람 맺음 5383 뽀뿌리

엮은이 정재운

시선집: 서로 다른 시선 3

발　행 | 2024년 02월 29일
저　자 | 정재운 박예슬 희망찬봄이네 김지한 도유제나 이세연 최우람 맺음 5383 뿌뿌리
엮은이 | 정재운
펴낸이 | 한건희
펴낸곳 | 주식회사 부크크
출판사등록 | 2014.07.15.(제2014-16호)
주　소 | 서울특별시 금천구 가산디지털1로 119 SK트윈타워 A동 305호
전　화 | 1670-8316
이메일 | info@bookk.co.kr

ISBN | 979-11-410-7423-4

www.bookk.co.kr
ⓒ 정재운 박예슬 희망찬봄이네 김지한 도유제나 이세연 최우람 맺음 5383 뿌뿌리 2024
본 책은 저작자의 지적 재산으로서 무단 전재와 복제를 금합니다.

시선집: 서로 다른 시선 3

정재운 박예슬 희망찬봄이네 김지한 도유제나 이세연 최우람 맺음 5383 뽀뽀리

엮은이 정재운

BOOKK✎

서문

    2023년의 5월을 첫 시작을 알린 시선집 프로젝트가 벌써 아홉 번째 책을 세상에 내놓게 되었습니다. 많은 분들의 관심과 사랑이 있었기에 여기까지 올 수 있었습니다. 모든 분께 진심을 다해 감사의 말씀을 전합니다.

    이번 시선집은 첫 번째 시선집을 기억하며 『시선집: 서로 다른 시선 3』라는 제목으로 준비하게 되었습니다. 이번 시선집을 준비하는 과정에서도 역시나 소중한 분들의 세상을 해치지 않고자 특별한 형식이나 정해진 분량을 제안하지 않았습니다.

    이번에도 이 시선집에게 소중한 시간을 내어주신 독자 여러분들께, 부디 제 소중한 인연들의 시선에 비친 세상이 선물되기를 간절히 바랍니다.

2024년 2월,
엮은이 정재운

차례 _

첫 번째 시인, 정재운

Instagram: @writernreader_j

순간을 영원으로 간직하고자 시를 씁니다.

풋풋한 사랑의 기억과 일상의 기억을 영원으로 간직하고 싶었습니다. 그런 마음으로 사랑하는 사람과의 기억을 영원으로 담고자 애쓰고, 일상에서 가볍게 지나칠 수 있는 것들을 영원으로 담고자 애썼습니다. 부디 이 애씀이 누군가에게 소소한 위로와 작은 미소를 건넬 수 있기를, 그런 기적이 일어나기를 꿈꿔봅니다.

말장난

일은 일일 수 있고
일은 하나일 수 있고
일은 원일 수 있다

말장난 같은 이 말이
인간관계를 대변할지도 모른다

네 글자에 스민 각자의 생각들

그랬었지

외국어

어린 시절,
학교에서 배웠다.
성공하기 위해서는
외국어를 배워야 한다고,
그래야만 한다고
배우고 또 배웠다.

살다 보니,
대한민국 땅에서 만난 그대들의 말과 언어들이
낯선 외국어처럼 느껴지곤 한다.
지금 내가 배워야 할 외국어겠지.

-

아, 그래도 영어 공부는 제대로 해놓을 걸

잘 살자

잘 살자.

'잘'이 뭘까?

사전은
옳고 바르게,
좋고 훌륭하게,
익숙하고 능란하게라고
외치고 있다.

'옳고 바르게',
'좋고 훌륭하게',
'익숙하고 능란하게'는 뭘까?

인생은 이 질문에 대해
답을 찾아가는 여행 같다.

내려놓는 법

내가 배워야 할 것,
내려놓는 법

그대가 배워야 할 것,
내려놓는 법

하지만

쉽게 배워지지 않는 것,
내려놓는 법

두 번째 시인, 박예슬

Instagram: @phtf_study @pys_study0805

16세 중3 때 제가 경험했던 일들과 생각들, 감정들을 글로 써 내려가기 시작했습니다.

저의 우울을 토해낼 곳을 찾아다니다가 글을 쓰게 되었습니다. 평소의 저였다면 금방 포기했을 저이지만, 저의 우울들로 인해 많은 사람들이 공감과 위로가 된다하여 글을 계속해서 쓰게 되었습니다.

저의 우울과 행복들이 다른 사람들에게 행복과 위로를 받았으면 합니다. 아직 글이 미성숙하나, 성장하는 모습을 봐주시길 바랍니다.

그대에게 기대고 싶어요

그대에게 내가 기대도 될까요
그대만이 저에게 힘이 되어요

그대에게 내가 내가 안길 수 있을까요
그대의 품속이 너무나 따뜻하면서도 위로가 되어요

그대에게 내 마음을 말해도 될까요
다른 사람들은 저의 마음을 듣고서는 다 떠나버렸네요

그대와 함께 행복해도 될까요
행복이란 것을 몰랐던 저에게 행복을 알려준 그대와 함께
행복을 느끼고 싶어요

그대에게 내가 기대어도 될까요
나의 울며 흐느끼는 감정을 잘 헤아려 줄 수 있을 것 같
아 말해봐요

당신에게 말해도 될까요
당신에게 푹 빠져버렸다는 말을요

그대에게 내가 기대도 될까요
그대만이

그대에게 내가 기대도 될까요
그대만이 나를 응원해주니 말이니.

반딧불이

사람들이 좋아하는 반딧불이가 될래요
모두에게 빛을 뽐내는 반딧불이가 될래요
모두에게 빛이 되어주는 반딧불이가 될래요.

사람들을 좋아하는 강아지가 될래요
미워하는 사람, 싫어하는 사람 없는 그런 강아지요
모든 사람들을 좋아하는 강아지가 될래요.

사람들을 행복을 주는 쿼카가 될래요
모든 사람들이 좋아하는 쿼카가 될래요
모든 사라들을 웃게 만드는 쿼카가 될래요.

물속에서 빨라지는 펭귄이 될래요
땅에서는 천천히 걷는 펭귄이 될래요
모두의 귀여움을 받는 펭귄이 될래요.

저도 사랑을 하고 싶은데요

사랑은 나중에 한다면 된다고 말씀하시지만,
저는 지금 사랑을 하고 싶은데요
사랑을 하는 방법을 하나도 모르겠네요.

나를 사랑해 주는 사람을 만나는 게 더 쉬운 걸까요?
내가 사랑하는 사람을 만나는 게 더 쉬운 걸까요?
나는 좋아하는 사람이 있는 거 같은데,
어떻게 말을 해야 하는지도, 어떻게 다가가야 하는 지도, 어
떻게 대화를 이어나가야 하는 지도, 아직 잘 모르는 저예요.

당신은 사랑하는 방법을 알고 있나요?
그렇다면 당신은 사랑을 하고 있나요?
저는 사랑을 하고 싶어요,
사랑을 해보고 싶어요

제게 알려주세요, 어떻게 해야 하는 건지

사랑이란 무엇인지 알려주세요.

이렇게 간절히 말할게요, 사랑이란 무엇인가요

저도 사랑을 해보고 싶어요

사랑을 나중에 하면, 나는 후회가 될 것 같아요

사랑의 끝이 상처를 받는 것들이어도,

사랑을 나는 지금 해보고 싶어요,

사랑을 나누어 보고 싶어요

사랑을 나누면, 어떤 감정들이 들까

사랑하는 사람에게 사랑을 받으면 어떠한 생각이 들까요,

어떠한 감정들이 들까요

사랑을 나누면 어떤 생각이 들까요

사랑하는 사람에게 내가 사랑하는 마음을 주면 어떠한 생

각이 들까요, 어떠한 감정들이 들까요

아직은 사랑을 해보고픈 나이인 걸요

사랑을 나누고 싶은 저인 걸요.

이젠 행복해

나는 살아있는 것조차 너무 힘들었어요,
나는 살아있는 것조차 너무 버거웠어요,
나는 사람들 만나는 게 너무 힘들었어요,
나는 밖에 나가는 것조차 너무 무서웠어요.

그런데,

그렇게 희망도 없던 나의 인생에 갑자기 나타나 주어서
나는 죽음을 미뤄두기로 했어요
나를 일으켜 줄 사람이 나타났으니까요
그 사람이 당신이에요

당신은 알고 있었나요?
당신이 한 사람을 구한 영웅이란 것을

당신은 알고 있었나요?
나를 행복하게 해주는 사람이 당신이란 것을

나는 이제는 행복해요
행복이란 몰랐던 내 인생에,
행복이란 것을 잊고 있었던 내 인생에,
행복이란 감정을 잊고 있었던 내 인생에
당신이 다시 알려 주었어요.

이제는 행복을 느낄 수 있어요
이제는 행복이란 감정을 느끼고 있어요
이제는 너무 행복해요.

그대 덕분에,
제 인생은 다시 시작이 되었어요
제 인생은 이제 하루하루가 행복을 느낄 수 있게 되었어요

고마워요,
행복을 다시 느끼게 만들어 줘서.

추억

내가 우울해서 힘들었던 것들도
나중에,
진짜로 내가 건강해졌을 때는
나의 우울들도 추억이 되어버리겠지

네가 떠나가서 울었던 날 들도
나중에,
네가 떠나간 거에 아무런 반응이 없으면
그것도 모든 게 다 추억이 되어버리겠지

어렸을 때의 기억들처럼,
어렸을 때의 추억들처럼,
오늘도, 이 시간들도 모든 게 추억으로 변하겠지

행복한 추억을 만들어도 모자란 시간이야
행복하기에도 바쁜 시간이야
행복하자, 행복을 찾아보자

세 번째 시인, 희망찬봄이네

Instagram: @snailletter

살면서 끊임없이 솟아오르는 내면의 생각들을 기록하고, 기억하기 위해 글을 씁니다. 그냥 놔두면 흩어 사라지는 한순간이지만, 글로 써두면 영원한 순간이 됩니다. 내 자신이 초라해 보일 때 내가 쓴 글은 나를 위로해 줍니다. 이것 보라고, 너는 무엇이든 쓸 수 있는 사람이라고.

매일매일 꾸준히 무언가를 쓰는 사람으로 살아가고 싶습니다.

저서로 〈내사랑 느림보〉와 〈오늘도 사랑해〉, 〈시선집:한 해를 돌아보는 시선〉이 있습니다.

너와의 하루

봄아, 오늘 너와의 하루 정말 좋았어.
네가 좋아하는 김치찌개로
맛있는 점심 식사를 하고
전시장 가서 구경도 잘하고
사진도 예쁘게 잘 찍었지.
너랑 나랑 두 손 꼭 잡고
호수공원을 걸을 땐
흐뭇함이 목까지 차올랐단다.

너와 내가 함께 걸어가는 길에
더도 말고 덜도 말고
오늘 같은 날만 가득하기를.
우리 건강하자.

삶을 사랑하는 증거

추운 겨울 날씨가 이어지다가
가끔씩 기온이 오를 때가 있다.
그럴 때는 선물 같은 날을 놓치지 말고
무조건 걸어야 한다.
적당히 차가운 공기는 상쾌하고
걷는 발걸음은 가볍다.
코끝 찡한 겨울의 산책은
내가 아직도 삶을 사랑한다는 증거다.

인생은 그런 것

흐뭇한 일이 있어
마음이 호수처럼 잔잔했는데
분노할 일이 생겨
마음이 성난 파도가 되었다.

일희일비하지 말자고 다짐하건만
사사로운 일에 자꾸 마음이 펄럭인다.

감정소비로 들쑥날쑥
쑥대밭이 되어버린 내 마음.
쓰리고 아프다.

지금껏 살아봐서 알잖아,
인생은 그렇다는 것을.
느닷없이 기뻤다가
돌연 슬퍼지는 것을.

평온하고 잠잠하기를 바래,
나의 삶.

익숙해지면

날씨가 흐리고 구름 낀 날이면
괜한 안도감이 든다.
내 마음만 흐린 게 아니고
모두가 공평하게 어두울 수 있으니까.

어두워진 하늘이 물러가고
세상이 온통 하얗게 밝아지면
그 아찔한 눈부심에 잠시 길을 잃는다.

흐리고 어두웠던 마음은
나중에 다시 꺼내 보기로 하고
마음 깊숙한 곳에 고이 접어둔다.

햇빛이 가리키는 방향을 따라
서서히 걸음을 움직인다.
익숙해지면 삶은 또 살 만하다.

추운 날

말랑말랑했던 몸과 마음이 바짝 언다.
나오자마자 집 안이 그리워진다.
중구난방이었던 머릿속 생각들을
순식간에 잊게 만드는 맹렬한 추위.

추운 날, 생각은 단순해지고
나는 더욱 겸손해진다.
크고 화려하진 않아도
추위를 녹일 집이 있다는 것은
얼마나 큰 축복인가.

바깥 추위로 한껏 움츠렸던 몸
집에 오니 키가 한 뼘이나 커진다.
그동안 나, 따뜻해서 외로웠구나.
겹겹이 쌓인 고독이 갑갑해지면
한겨울의 시린 추위를 기억하자.

네 번째 시인, 김지한

Instagram: @ji__book

삶은 경험을 많이 한 자의 승리다.

아픔과 상처는 기쁨을 더욱더 오래 누릴 수 있게 하는 밑거름이 된다.

글을 쓰는 이유 또한 그 밑거름을 나눠주기 위해서이다.

천일홍

할머니 집 마당에서 너를 처음 보았다.
담배를 피우시며 늘 바라보시던 꽃

거칠게 뭉쳐있는 것처럼 보이지만 건드리면 쉽게 무
너지는 너,

늘 거기에만 있는 줄 알았던 꽃
지금은 길가에도 있고 내 방에도 있는 너,

천일홍을 바라보면 6.25 시절 소녀였던 할머니의 얘
기가 귓가에 맴돌았다.

꽃을 꺾지 않는 나지만
결국, 오늘 꺾어서 내 방 탁상 앞에 두었다.

물끄러미 바라보고 있으면
할머니와 함께 있었던 장면들이 떠오른다.
할머니의 소녀 시절과 내 유년 시절을 함께 추억할
수 있는 존재

나에게 세상에서 가장 아름다운 꽃이 되어버렸다.

프로파일러

모두가 결과에 집중할 때
나는 과정을 파헤쳐 본다.

인간은 환경에 떠밀려 자기를 쉽게 잃어버릴 수 있는
존재이기에
그 입장에 스며들어 생각해 본다.

머릿속에 미리 그려둔 몽타주와 사건 일지를 읽어본
다.
잠재되어 있던 사람의 죄악들이 바람을 타고 꽃가루
처럼 공중에 날아다닌다.

그러다 내가 입은 흰색 셔츠에 달라붙었다.

문득 찾아온 꽃가루에
내 가슴이 찢어지듯 아파지고
정신을 차릴 수 없을 정도로 어지러웠다.

피해자와 가해자
두 단어로 끝이 나는 심판

사실 승자 없는 이 법칙은
모두를 죽음으로 끌고 가고 있었다.

누구에게도 말할 수 없는 고해성사가
끝이 나는 날

부디 진정 자유로워질 수 있기를

인간의 부활

잠재되어 있는 나의 선과 악을 일깨워 주는 시기가
있었다.

내가 얼마나 악인이 될 수 있는지
얼마큼 선을 지킬 수 있는지

방아쇠는 수없이 당겨지고
남는 것은 연기뿐이었다.

다시 살아가기 위해
거울에 비친 내 모습을 그대로 받아들이는 연습부터
했다.

갓난아이가 처음 엄마의 이름을 부르듯
듣기 싫던 나의 이름을 새롭게 부르게 되었다.

당당해질 수는 없어도
내 스스로 용서하기 위한 시간을 위해서

끊임없이 죽음과 태어남을 반복하였다.

히스토리

누가 그러던가?
젊은 시인은 사랑 이야기만 적는다고

누가 그러던가?
젊은 시인은 이별 이야기만 적는다고

누가 그러던가?
젊은 시인은 꿈만 꾼다고

젊은 나의 젊은 시는
삶과 죽음을 쓰고
인간의 부활을 기록한다.

손끝의 반짝임

오늘은 무엇을 받았나요?

오늘은 무엇을 건넸나요?

한 손으로 건넸나요?

양손으로 정성스럽게 건넸나요?

우리는 가끔 손을 통해서 그 사람의 마음을 확인하고
때로는 내 마음을 손으로 표현하기도 합니다.

오늘은 따뜻함을 건넸나요?

다섯 번째 시인, 도유제나

Instagram: @gimdoyu_04

순간순간 느끼는 감정을 집중하며 바라보고
이끌어 내니 나만의 시가 나온 것 같습니다
한 편의 멜로드라마 주인공이 되어
사랑하며 살아가는 자체만으로도 내가 살아 숨쉬고
있는 느낌입니다
바람처럼 구름처럼 흘러가며 흘러 가는대로
느끼는 감정 그대로 시를 쓰는 사람이 되고 싶습니다

봄 햇살

아침에 눈을 떠 보니
햇살이 제 집인 양 들어와 앉았네요

창문 밖 풀꽃의 잠을 깨우기에
눈 감아 줄까 합니다

그게 나라서

미안해
사랑해서

미안해
아프게 해서

미안해
그게 나라서

내 안의 기적

울음을 참는 서러움이 안쓰러워 침묵합니다
잠을 잊은 괴로움이 안쓰러워 침묵합니다

하루하루 소모전 같은 날들을 보내고 나면
허물을 벗은 희망을 안고 하늘을 날으렵니다

가장 아름다운 꽃을 피우기 위한 씨앗은
내 안에 있으며 그 모든 기회는 기적임을 압니다

사랑

첫사랑,
순정이었는데
순종을 바라더라

두 번째 사랑,
믿고 방목한 사랑이
방심할 틈을 찾더라

마지막 사랑,
상처를 떠안더라도
상처는 주길 싫더라

붓 하나

혼을 충분히 묻힌 거침없는 붓질은
부족함을 채우고 넘칠 것을 다스린다

창작의 고통을 즐기는 때에 이르면
실패의 맛 또한 달콤하네

작은 작업실에서 자라는 커다란 영감에
날개를 펄럭이는 붓이 영생의 숨을 불어넣는다

여섯 번째 시인, 이세연

Instagram: @poem_1984

아이들에게 남겨줄 책 한 권을 위해 시를 남깁니다.
앞으로 살아갈 날이 많은 아이에게 지금의 제가 느끼는 삶
을 온전하게 남기고 싶습니다.

서해바다

파도는 빛을 머금고
황금색으로 변신했다가
이내 사라지고 있다.

바람은 황금이 탐나는 듯
끈기있게 파도를 만들고
그 순간을 우리는 눈사진에 담는다.

아이들은 갈매기를 쫓고 있고
갈매기는 새우깡을 든
어느 노부부를 쫓고 있다.

금빛 바다와 아이들의 재잘거림
갈매기들의 알 수 없는 대화가
한데 어울려 축제의 장이 열린다.

간조가 되니 축제에 늦게 도착한
작은 새우와 소라게 그리고 뻘게가
참석을 알리니 아이들이 연신 잡아댄다.

축제의 마지막은 바다가 황금을
다시 거둬들이며 태양이 노을로
재탄생시켜 하루를 보내는 것으로
막을 내린다.

아니 어쩌면 새로운 축제를 준비한다.
내일의 아이들을 위해-

너와 나의 교집합

우리의 교집합이
마음에 들었다.
서로에게 맞는 부분이
있다는 것만으로 만족했다.

어느 날
합집합인 연인을 만난 적이 있었다.
완벽한 조건인 그들을 보고
우리가 부족해 보일 때도 있었다.

부족한 우리일지라도
너와 닮은 게 한 가지라도 있는
내가 좋았고,
그게 전부였다.

몇 년이나 흘렀을까
이제는 말투만 들어도
숨소리만 들어도
걷는 모양새만 봐도 너를 알게 됐다.

우리의 시작이 어마어마하게
위대한 사랑은 아닐지라도
서로에게 채워줄 수 있다는
공간이 있다는 것에 감사하며

우리 그렇게 사랑하자-

2024년 2월에 서서

작심삼일 벌써 20번째가
다가 온다.

끈질기게 살아가겠다던
나는 늘어지고 있다.

시간은 공평해서 어떻게
쓰느냐에 따라 더 갖게 된다.

시간을 더 갖게 되는 사람들은
정말 쉴 새 없이 잘 살아낸다.

길에 늘어진 선인장도
이름 모를 들풀도 봄 준비에 한창이다.

다시 한 번 작심삼일을 계획하여
나도 그들을 닮아보자.

늘어지더라도 끊어지지 않고
늦더라도 나의 봄을 준비해본다.

어떤 단절

사람들은-

아무리 그럴듯한 문장으로도
그 마음을 제대로 해석해내지
못하고 있다.

아무리 그럴듯한 사진으로도
그 마음을 제대로 담아내지
못하고 있다.

제대로..
더 제대로..
바로 그대로..

그러면서도
인공지능을 만능주의를 주창한다.
이제는 인간을
더욱 이해하려고 하지 않고 있다.

바야흐로 A.I의 시대가 온다.
인간성의 단절 시대가 오고 있다.

지친 광대

어느 광대가 있다.
비와 바람에 풍화된
무뎌진 광대가 있다.

그의 꿈은 무한했으며
열정은 그것과 비례해
언제나 전진하였다.

청년이었던 그는
온통 타인의 시선에 집착해
스스로 광대가 되었다.

타인의 인정은 그를 춤추게 하고
그의 삶의 원동력이 되어 매번
새로운 볼거리를 제공해야 했다.

한순간 흘러가버린 시간은
유턴이란 게 없다.
후회도 역시 시간과 같았다.

광대는 청년으로 돌아가고 싶다.
내 몸에 맞는 꿈을 꾸는
오로지 내 것인 그 삶으로-

일곱 번째 시인, 최우람

Instagram: @ramuram_choi

어릴적 시를 쓰는 아버지를 보았습니다.
어느덧 제가 그 나이가 되었습니다.
시인처럼 살고 싶다기보다는
그 순간을 메모장에 적어봅니다.
시속에서 당시의 심정이
가장 명확하게 느껴집니다.

꽃샘추위

계절을 시샘하는
사랑을 부끄러워하는
바람꽃이
헤프게 피어나는 아침

그대도 졸고
나도 졸고
봄은 미안한 듯 손짓을 한다

그리움 저편
하늘에는 못마땅한
벗꽃군무가 미친듯 솟구쳐댄다

바람이야 태양아래
잦아들면 될 것을
놀라 돌아서버린 그대는
이별 앞에 울음을 터트린다.

불쌍한 아침
또 다른 사랑을 훔친다.

비처럼

창밖에서 막무가내 우는
저 비와같이
철저히 솔직했으면
지금 난 혼자가 아니었을까

땅을 치고 아파하고
지붕을 때리면서도
소멸해 가는 것들을 두들여본다
상처투성이다 눈물범벅이다

슬픔일까? 어떤 후련함일까?
발가벗은 듯 홀가분하다

올해는 따뜻하리라
움찔하게 다짐해보건만
벌써, 꽤 많이
벗어나 버렸고
가슴에도 남모를 것들이
수북하게 쌓여만 간다.

저 비처럼
바람처럼

비오는 밤

한번 울어봤으면,
스스럼 없이 늙어가며 또 늙는다

비가 내린다
이대로 무엇이 된들
가볍지 않게 행복해지고 싶다.

외롭지도 않고
그립지도 않고
저 비처럼 솔직하게 흐르자

느릿느릿하게
비바람 속에 나부끼는 밤이다
사랑할 수밖에
도리가 없다.

아버지

총포사를 두리번거리던
아버지는
눈에 달팽이를 달고
울분을 토해냈다

약은 아침저녁으로 먹어야 하지만
오늘도 한번 밖에 먹지 못했다

아들은 떠나가고
딸은 곁에 남았지만
마카롱처럼 달콤하지는 않다.

밥을 차려줄 것 같은 아내는
오늘도 어깨가 아프다

고단한 몸을 누이고
알츠하이머처럼 잊어본다.
아무 일 없던 것처럼..

남녘에 어미는
떠나간 자식을 그리워하지만,
거짓말처럼 금세 웃어버리고,
내일 다 없어진다 해도
아무렇지 않다고 되뇌이지만,
내가 한 짓은 돌이킬 수 없다.

공수래 공수거
하는 데까지 해볼 심산이다

사랑합니다.

그대가 있어
오늘 섭섭한 세상과
화해를 했습니다.

한시도
떠나본 적 없는
그대가 내게 있어
눈물을 훔쳐 달아났습니다.

참 좋은 시절
늘 사랑한다는 게
아름다운 시절
이 시간이 오랫동안 기억되면
지독히 좋겠습니다.

사랑은
혼자 품어도 좋고
그리움은
함께 품어사는거라

굳이 말하자면
지금도
사랑합니다.

여덟 번째 시인, 맺음

Instagram: @na_nyong_

글에는 그 사람이 묻어나오는 신기한 힘이 있습니다. 그래서 좋은 시 한 편을 읽으면 그 사람을 알아가는 순간으로 바꾸어 선물을 받은 것 같은 기분을 느끼게 합니다. 얼굴 없는 저의 글이 저라는 사람을 만나는 순간으로 바꾸어 작은 선물이 되기를 바랍니다.

18년 그리고 19년

시간이 지나 모든 것이 나에게 남을 때
울었던 순간이 웃음으로 승화될 때
기억의 순간이 현재에 있어줄 때

나는 내가 켜켜이 쌓여 정교하게 만들어진 존재라는 것을
오늘에서야 알았다.

내가 할 수 있는 것은
4년 전의 나를 추모하는 것과

나를 향한 다독임과
나를 향한 진심 어린 응원과

앞으로 향하는 나를 만족스러워하는 인식이었다.

\-

저무는 하루에 따듯한 웃음이 나온다.

답가

나는 오로라를 겪길 바랐다.

이는 강렬한 충돌을 만나는 일.

단 한 번만이라도 내 몸이 부서져도 좋으니
나를 버리고 남을 사랑하는 경험을 해보기를 원했다.

올 것 같지 않던 오로라는
예상치 못하는 순간에 찾아온다.

단 한 번의 웃음과 손의 촉감은 강렬한 충돌을 만들어내고
우주 안에 있는 듯이 파동은 점점 진해진다.

나는 너의 우주가 된다.
너는 나의 오로라가 된다.

빛, 인지

그래. 그때의 나는 몰랐지.
이리도 큰 빛이었는지를.

온 세상을 환하게 비추고도
내 옆에서 타닥거리며 몸을 녹여줄
그런 빛인지를 몰랐지.

일상을 보내다 문득 어제와 똑같이
가만히 바라보았는데
그때 알았어.

빛을 품고 있는 너를 보는 나를.

여행

행여나 실패할까
서성이던 발걸음에
숨을 쉬지 않던 그 순간

여행이라는 명목으로
용기 내보던 그 순간

자유로이 움직일 수 있었다
자유로이 만져볼 수 있었다
자유로이 바라볼 수 있었다

푸른 바닷물 속 고요히 떠다니던 그때
비로소 나는 느린 숨을 쉴 수 있었다

너, 나, 사실은 우리

밤하늘 별의 군단이
나를 향해 눈인사를 건넨다

묵직한 모랫바닥과
따뜻한 그의 목덜미
이름 없는 강아지와
우리 셋이라는 이름

광활하고 거대한 마음이 휘몰아쳐
질문으로 남은 시간

별 위의 존재들과 나눈
짧은 인사와 응원을 안고
그렇게 우리 둘,
다시 발자국을 남기며
한 걸음 나아가 본다

아홉 번째 시인, 5383

Instagram: @5_383_

읽어주셔서 감사합니다.

눈

낯설어지고 싶어 눈을 비볐다
다시 돌아올 걸 알면서도 흐려지는 시야가 보고 싶었다
밖에는 저마다의 첫눈이 자리 잡았다

길가에 쌓여있는 눈들은 어제를 돌아보는 오늘의 몫
날이 밝기 전에 갓길로 밀어내는 일은
오늘로 할당된 나의 몫이었다

하루에도 몇 번씩 눈이 내린 줄도 모르게
세상은 눈부시게 희다고 생각했다

그러다 하얀 거짓말에 익숙해질 때면 어김없이
낯설어지고 싶어 눈을 비볐다

하루

새벽 맡에 뒤척이다
잃은 온기를 찾아 더듬거리는 것도

겨울바람을 맞으며
무정해지는 볼 한쪽을 어루만져보는 것도

이제는 아프다 또 무겁다
사랑하는 이들의 마음을 닮아가고 싶어
다음 생에는 눈 덮인 바다에서 태어나고 싶다

천천히 가라앉으며 하늘을 나는 꿈을 꾸고 싶다
모든 순간이 파랗다가도 까맣다

사랑은 왜 평생 가본 적 없는
낮과 밤의 하늘을 닮아있나

왜 고작 눈 한 번 감았다 뜨면
많은 것들이 달라져 있나

철새

그래, 아직까지도 나는 많은 걸 기억하고
엇나간 모든 바람은 겨울과 함께
다시 돌아온다는 것을 안다
빈 계절을 채우려 자꾸만 기억을 덧칠하게 된다
내 마음은 너무나도 얄팍한데
주변에 떨어진 지난 흔적들만 무성해서
나는 꽤나 쉽게 이곳으로 돌아올 수 있었다
혹여나 길을 잃을까 나는 너를 날개뼈에 묻고
이번에도 조용히 깃털 하나를 남기고 간다

설국

그저 하찮은 듯이 울음을 터뜨리던 날들도 있었지

너의 눈은 꼭 눈 덮인 바다를 닮았어

희푸른 눈이 아무리 녹아내리고 녹아내려도

아무도 슬퍼하지 않는 세상인 듯이 말이야

눈꽃

한겨울에도 여전히

꽃이 피어난다

나 홀로 펑펑 우는

이 밤에 외롭지 말라며

매 가지마다 활짝 피었다

열 번째 시인, 뽀뽀리

Instagram: @lovelybbohee

내가 바라보고 있는 그것이 존재 그 자체로 바라볼 수 있기를 바랍니다. 아이처럼 맑고, 강아지처럼 맑고, 세상의 편견으로부터 맑고. 있는 모습 그대로 담아내서 맛있는 풍미를 느끼는 시 한편이 되길, 배부른 한 끼 식사가 되길, 영원히 목마르지 않는 물이 되길 소망합니다.

잔디 대회

햇살이 내리쬐는 어느 오후
살랑이는 바람을 맞으며 대회는 시작됩니다

1등 잔디, 2등 잔디
와 쟤네 키 좀 봐

3등 잔디, 4등 잔디
와 쟤네 색깔 좀 봐

쟤가 5등 잔디구나
아래로 살짝 떨어지는 끝부분까지도 앙칼지네

10235등...
나는 왜 이렇게 누렇고 볼품없니

어딘가에서 들려오는 소리
여기서부터 저기까지 싹 다 밀어주세요

잔디들의 웅성웅성 소리
바람의 안절부절 소리

어? 아직 할 일이 많은데
어? 지금 밀리면 안되는데

아! 생각보다 빨리 찾아왔네
아! 더 많이 즈...기..ㄱ

징징징
지잉-

스피커, 춤, 키스

노오란 조명 아래
하나 된 두 남녀

스피커 사이로 흘러나오는 노래 속에
뒤엉킨 남자와 여자

발 위에 발을 얹어
방바닥 도화지 위에 그림을 그려본다

4분의 4박자
영원의 약속

방 안 가득 메운 소리, 그리고
두 남녀 사이에 꽉 찬 침묵, 그리고

오래 오래 오래 오래
건강해야 해

흔들흔들

흔들리고 뿌리째 뽑혀도
다시 자라나는 것이 있다

흔들리고 뿌리째 뽑혀야만
그래야만 되는 게 있다

고통스럽고 화나고
신경쓰이고 불편하고

눈물나고 피나고
서럽고 억울하고

이 모든 것이 지나면
더욱더 굳건한 영구치가 기다리고 있어

흔들려도 돼
흔들려야만 해

그게 자연스러운 거니까
그게 인간을 위한 선물이니까

만남과 이별

이별은 기차입니다
떠나가니까요

만남은 기차입니다
다시오니까요

삶은 역 안에 존재하는 것
기차를 잘 떠나보내고, 다시 오는 기차를 안아주는 것

이별은 마음에 쥐가 난 듯
꽉 뭉쳐진 근육통입니다

만남은 마음에 뜨뜻한 물 붓듯
확 풀어지는 스트레칭입니다

무지개 다리를 건너는 반려견
갑작스러운 친구의 부재
세상의 모든 졸업식
모든 이별

만나는 순간 이별이 시작된 것임을
만남과 이별이 친구라는 것임을

만남과 이별이
빛과 어둠, 밤과 낮이라는 것임을

소중한 이 순간
소중한 이 사람과

매분, 매초
내 방처럼, 내 집처럼

충분히 누리는 것밖에
충분히 내던지는 것밖에

안녕, 잘 있어!

서늘한 겨울 공기
발바닥으로 스미면

살금살금 위로위로 올라와
눈가에 멈춰, 서리로 맺힌다

차갑게 얼어붙은 서리는
이내 곧 따뜻한 눈꺼풀의 온기와 만난다

한 방울에
이제 잡은 손을 놓아줄 때를 느껴 뒤통수가 아리고

한 방울에
목이 막힌다

한 방울에
고개를 떨구고

한 방울에
질끈 감아 이 계절을 외면해버린다

나는 아직 겨울을 보낼 준비가 안 되어 있는데
나는 아직 봄을 맞이할 준비가 안 되어 있는데

야속한 시간
매몰찬 섭리

두 방울에
추억을 곱씹고

세 방울에
가슴 속에 포옥 묻는다.